ともだちがほしかったこいぬ

LONESOME PUPPY

絵と文
奈良美智
えとぶん
ならよしとも

マガジンハウス

ぼくは　いつも　ひとりぼっちで
とっても　さみしかった。
だれか　どっかから　やってきて
ともだちに　なってくれないかって
いっつも　おもってた。
だって　ぼくは　ほんとに
ひとりぼっちで　さみしかったんだ。
うそじゃないよ。
どうして　ひとりぼっちで
さみしかったか　おしえてあげよう!
だってね　ぼくはね…

OH! BIG!
RUSSIA

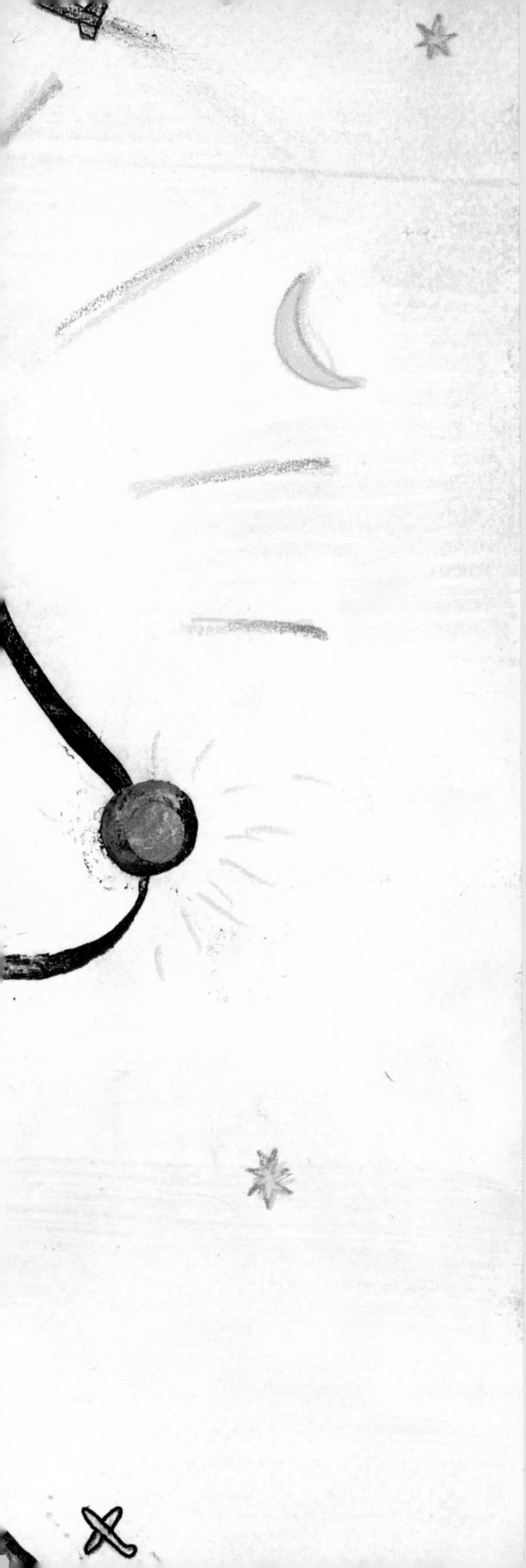

こんなに
おっきい
んだもの！

Princess Grace
Western Opthalmic
Paddington
Seymour Hall
Fitzroy
EDGWARE RD
GEORGE ST.
GLOUCESTER PL
BAKER STREET
Marble Arch
Toy Museum
Lancaster
Queensway
HYDE PARK
Bond Street
OXFORD STREET
Oxford Circus
Tottenham Court Road
Royal Academy
Piccadilly Circus
Charing Cross
Holborn
Lincoln's Inn
Chancery Lane
Theatre Museum
Royal Courts of Justice
Temple

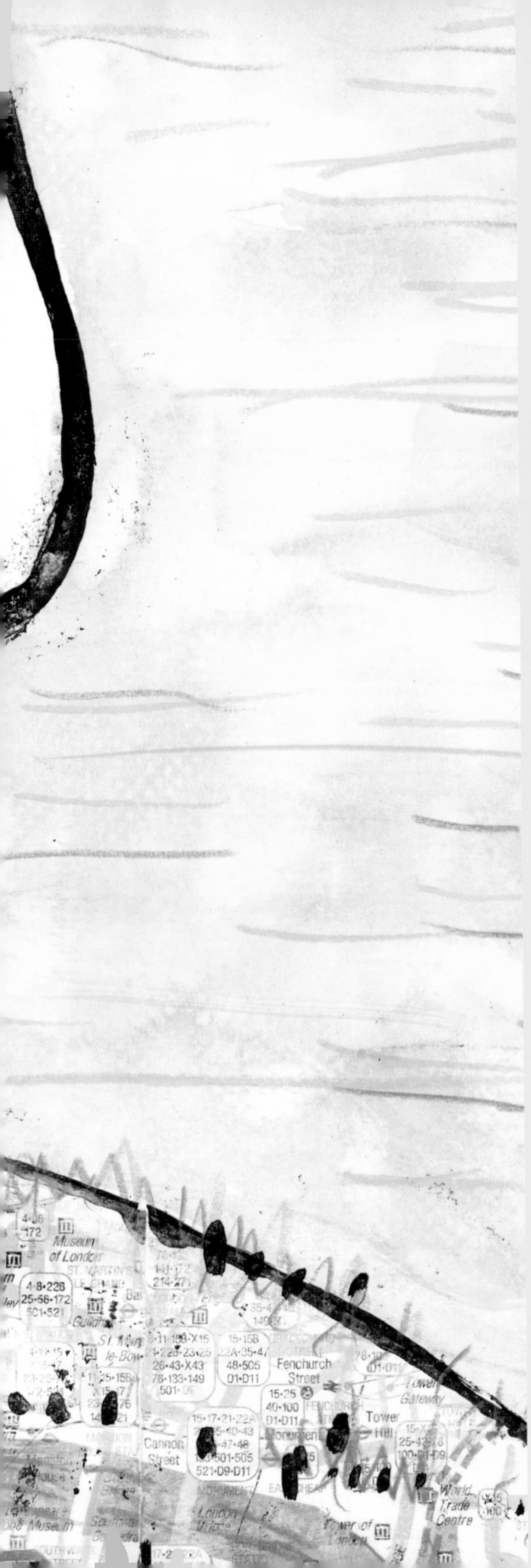

だから　みんなには

ぼくが　おおきすぎて

みつけられないんだよ。

そうゆうわけで

ぼくはず―っと

ひとりぼっちで

さみしかったんだ。

でもね　あるとき　ひとりの　おんなのこが

ぼくに　きづいてくれたんだ！

どんどん　どんどん　のぼっていったよ。

どんどん　のぼって　どんどん　あるいて　とうとう

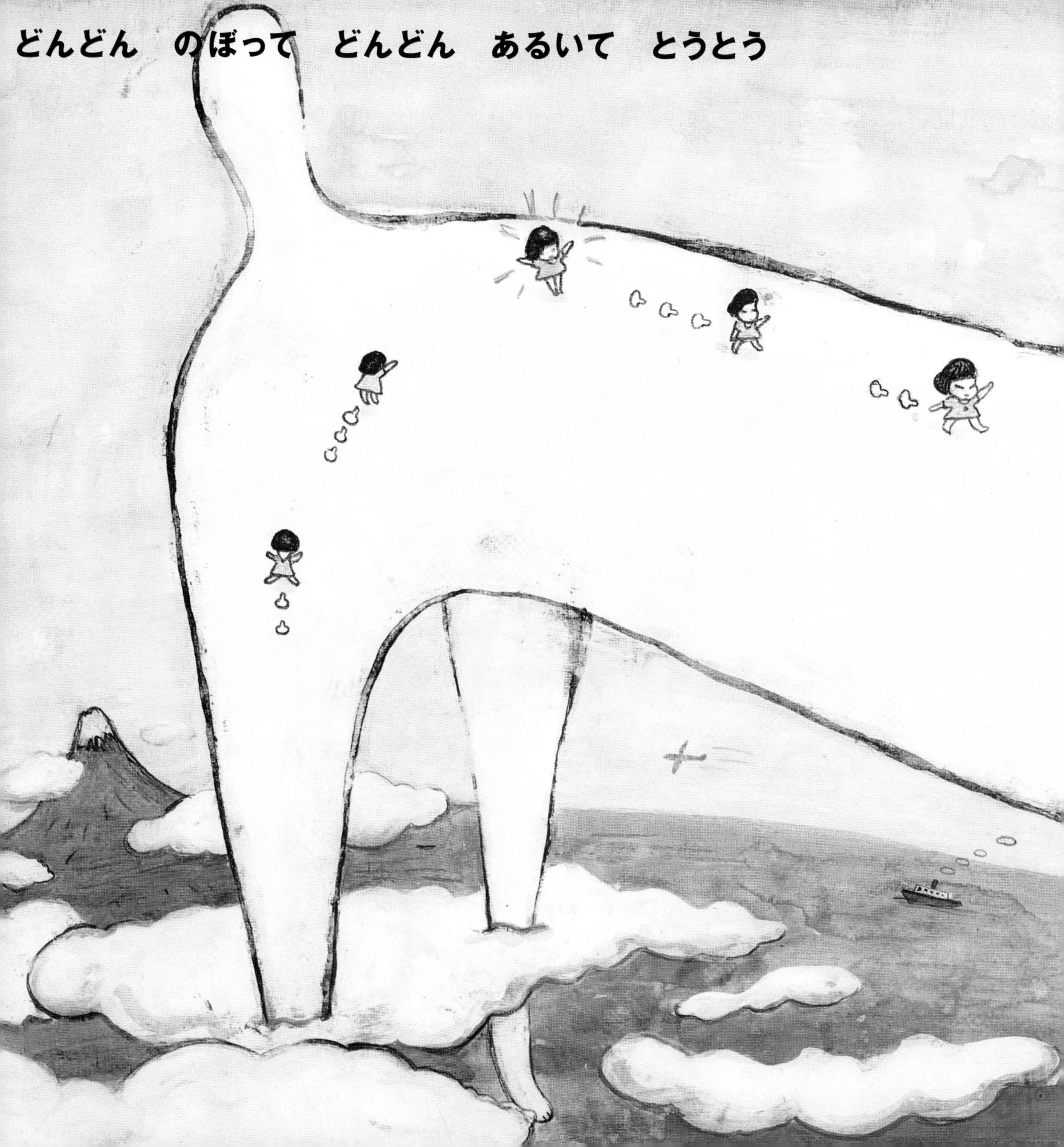

くの　あたまのとこまで　やってきた。

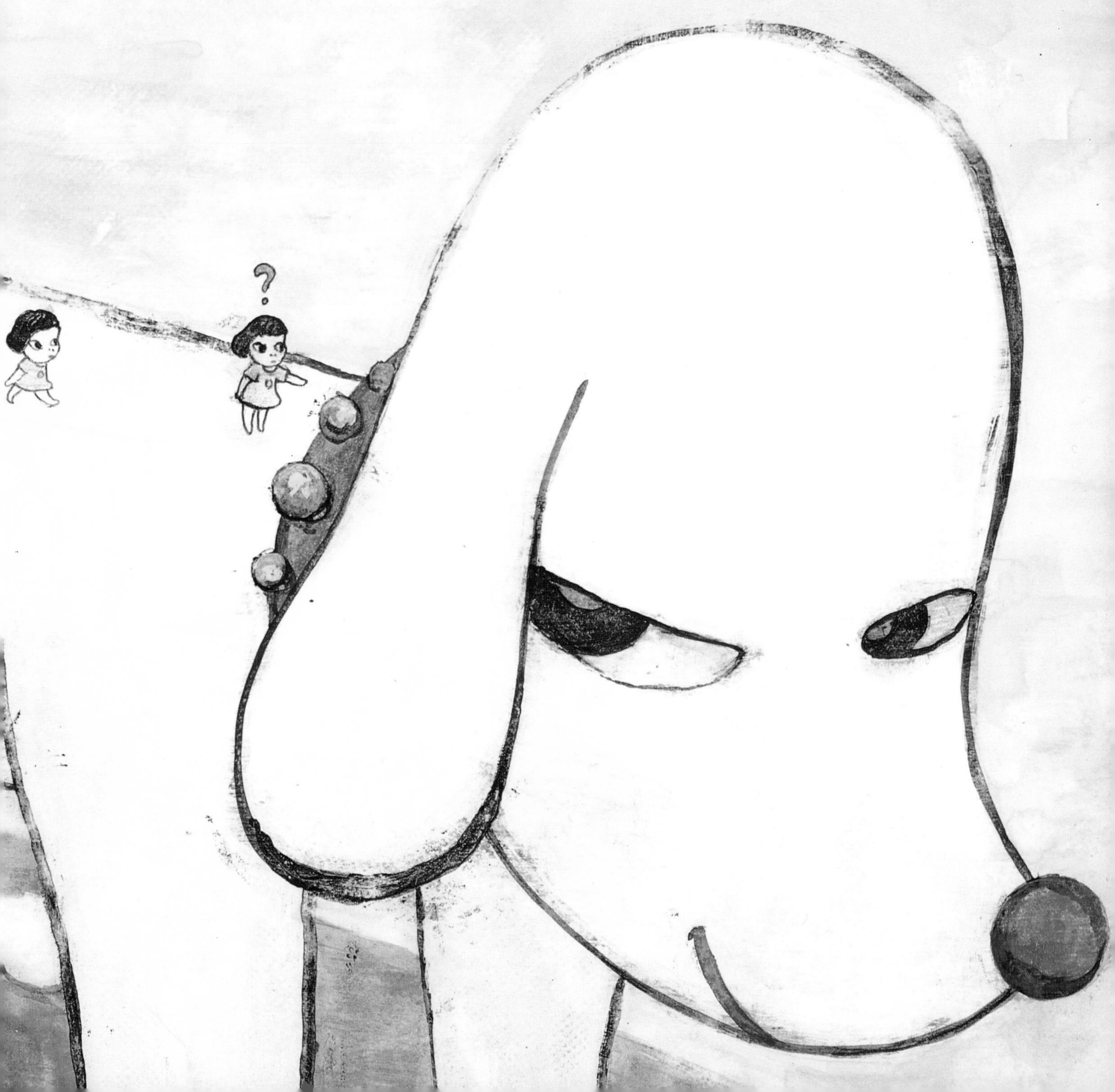

あたまの　てっぺんまで　きたときに
すべって　ころんで　ごろごろ　どっしん!

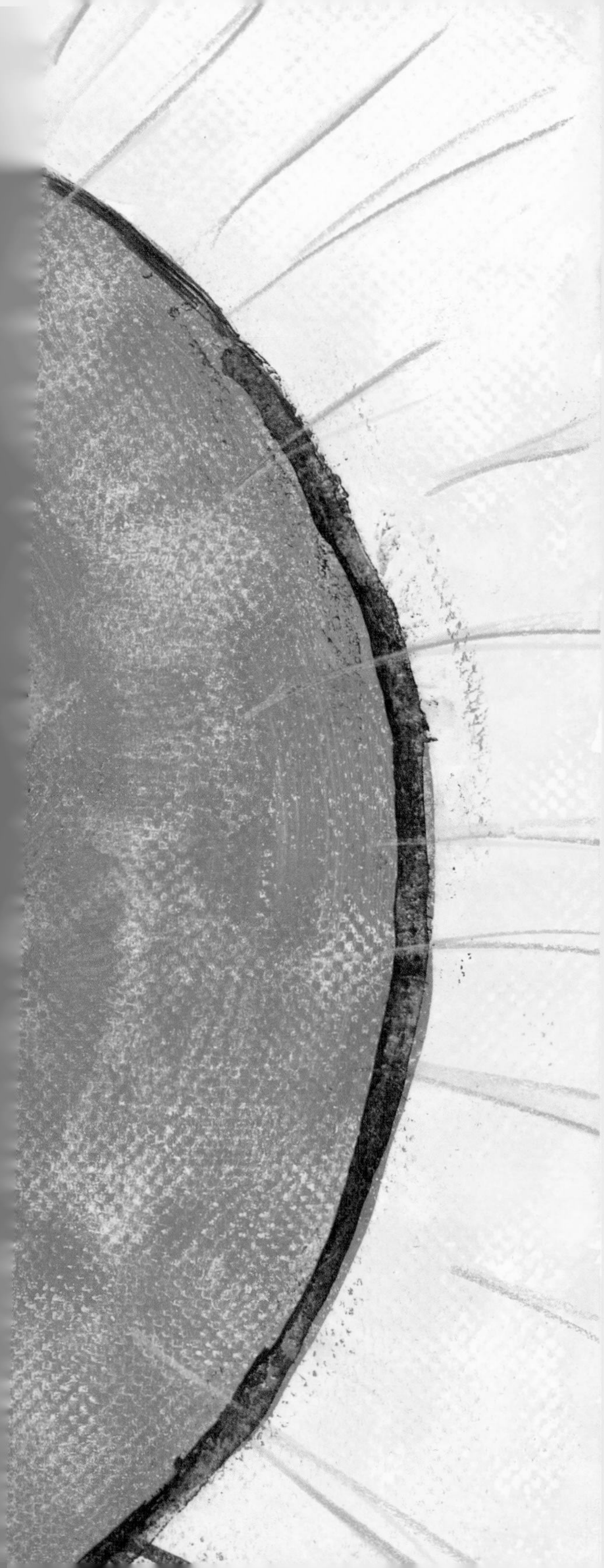

おんなのこは
とっても
びっくりした。
ぼくだって
びっくりしたんだ。

でもね　おんなのこは　いっぱい
うたを　うたってくれたんだ。
そうして　ぼくたちは
ともだちに　なれたのさ。

それから　おんなのこは　おうちに　かえっていったけど
ぼくは　もう　さびしくなんかない。
もう　ひとりぼっちじゃないんだ。
だって　おんなのこは　さいごに　いったのさ。
「またね！！」

ちっちゃなおんなのこも　おっきなこいぬも
ともだちになれて　よかったね　パチパチ

さて　それからふたりは　どうしたかというと
ときどき　けんかもしたけど
やっぱり　たのしくあそんだそうです

きみが　もしも　ひとりぼっちで
とても　さびしくても
きっと　どこかでだれかが
きみとであうのを　まってるよ

だいじなのは　さがすきもち！

This book is dedicated to physically challenged children everywhere
and little Michi & Lolo in Amsterdam.
Special thanks to pork curry, beef curry and Hiroshi Sugito.

STAFF

【コーディネーション】
小山登美夫ギャラリー

【プロデュース】
桑原茂一(株式会社クラブキング代表)
土佐豊(マガジンハウス書籍出版部)

【アート・ディレクション&デザイン】
柿崎宏和(The Graphic Service)……………(p.3-p.26)
山田英春……………(装丁、p.27-p.39)

【協力】
シネマライズ
白土舎

HAPPY HOUR
(奈良美智オフィシャル・インフォメーション・ウェブ・サイト)
URL　http://www.happyhour-jp/

奈良美智

（なら・よしとも）

●

1959年青森県弘前市生まれ。
愛知県立芸術大学大学院修了後、ドイツに。
ドイツ国立デュッセルドルフ芸術アカデミーに在籍し、
A.R.ペンクよりマイスターシュウラーを取得。
現在もケルンをベースに制作活動を行う。
98年、UCLAで３ヶ月客員教授をつとめる。
ヨーロッパ・アメリカ・アジアなどで作品を発表、世界的規模で活躍している。
著書に、『深い深い水たまり』（角川書店）、
『Slash·with a Knife』『UKIYO』（リトル・モア）などがある。

ともだちがほしかったこいぬ

1999年11月18日　第１刷発行
2004年12月21日　第10刷発行

著者———奈《な》良《ら》美智《よしとも》
発行者———石﨑孟
発行所———株式会社マガジンハウス
東京都中央区銀座3-13-10　郵便番号104-8003
電話番号：販売部　03（3545）7130
書籍編集部03（3545）7030

印刷・製本———共同印刷

ISBN4-8387-1154-9　C0071